Weil eine Welt mit Geschichten eine
bessere Welt ist.

Tanja Gitta Sattler

# Glück und Ort sind eins – Short Stories

Life is a story

schreib's auf
story.one

1. Auflage 2021
© Tanja Gitta Sattler

Herstellung, Gestaltung und Konzeption:
Verlag story.one publishing - www.story.one
Eine Marke der Storylution GmbH

Gesetzt aus Crimson Text und Lato.
© Fotos: Unplash

Printed in the European Union.

ISBN: 978-3-99087-850-7

Meinem liebsten Reisebegleiter und
Ehemann Michael sowie allen anderen
Glücklichen gewidmet, die an schönen
Orten dieser Welt das Besondere suchen
und Himmlisches finden.

# INHALT

# Das Mädchen und der Esel – Mallorca

Wer das Wort Mallorca hört, fantasiert dazu unweigerlich Sonne, Meer, schöne Landschaften und lauschige Fincas. Natürlich auch den Ballermann, stimmt's? Ich denke an ein kleines, graues Eselchen. Wieso das?

Meine wilde Mama wollte unbedingt bei einem Muli-Wettrennen mitmachen und ihre beiden Töchter fanden das toll. Erst mal ... Meine Schwester Birgit ist erfolgreich im Reitsport aktiv, sie kam prima klar. Zu ihrem Pech wurde sie von der Kommandozentrale gezwungen, auf mich aufzupassen. Ich zählte damals erst zarte 6 Lenze und wurde deshalb auf einen Esel gesetzt. Pedro sei lieb und durch nichts aus der Ruhe zu bringen, sagten sie auf dem Reiterhof. Ja, es war nicht zu bestreiten, das süße Schlitzohr chillte für sein Leben gern. Maximal 5 Meter bewegte er sich vorwärts, dann hielt er an, schrie: "I - aaa!" und graste. Ich konnte ihm die Fersen geben, "hü!" und "hott!" schreien, wie ich wollte, Pedro juckte das nicht.

Nach dem Startschuss machte sich die Reiterschar johlend vom Acker. Unsere Mama hatte einen gewaltigen Zweig aus dem Buschwerk gerissen und drosch sich wie eine Kriegsgöttin an vorderste Front (ich fürchte, der Knüppel landete nicht bloß auf dem Popo ihres Mulis ... ). So war sie! Niemals zimperlich, stets den Sieg vor Augen. Meine arme Schwester wollte auch gewinnen und schmollte, ich heulte wie ein Schlosshund. Beherzt griff sie Pedro in die Zügel, er zuckelte ein paar Meter weiter. Da verlor ich meine Glogs und wir mussten anhalten. Birgit stieg ab, reichte mir die Schuhe, der Esel schrie: "I-aaa!", schlug Wurzeln und graste.

Ein Mallorquiner vom Reiterhof kam angaloppiert, klatschte Pedro aufs Ärschl und rief: "Venga!" Das wirkte, es ging wieder vorwärts. 5 Meter, dann verlor ich meine Glogs. Der junge Mann stieg ab, sammelte sie auf und zog sie mir freundlich lächelnd über die Füße. Augenblicklich verwandelte er sich für mich in einen edlen, glutäugigen Märchenprinz. Vielleicht bin ich deshalb Flamencotänzerin geworden?

Mein Held gab Birgit den Wink loszureiten und sie ließ sich nicht lange bitten. Pedro schaute ihrem davondüsenden Muli verständnislos hinterher, schüttelte den Kopf, schrie: "I-aaa!" und begann wieder zu grasen. Der edle Jüngling fluchte, gab dem sturen Bock einen Klaps, woraufhin er einen solchen Satz tat, dass ich nach hinten kippte. Die Glogs flogen hoch durch die Luft. Einer landete im Gebüsch, der andere in einem Mulifladen. Mein Prinz schimpfte wie ein Rohrspatz, stieg ab, putzte Nummer 1 mit einem Taschentuch sauber und fischte Nummer 2 aus dem Gestrüpp heraus. Dann packte er mich und setzte mich hinter sich aufs Pferd, den Esel nahm er am Zügel.

Als wir im Ziel eintrafen, flogen dort die Sektkorken, Musikanten spielten und es herrschte tolle Stimmung. Meine Mutter, die stolze Siegerin, stürzte jubelnd zu mir und riss mich lachend in ihre Arme.

Sie fragte: "Na, hat's Spaß gemacht?"

"Dem schon", sagte ich und zeigte anklagend auf den Esel.

Pedro nickte fröhlich und schrie: "I-aaa!"

# Alles Glück der Erde ...

Ich gestehe: Das Foto wurde auf einer andalusischen Pferdegala im Elsass geschossen, bei der ich als Flamencotänzerin auftrat. Es sollte bloß Neugierde wecken – verzeiht! Dieser herrliche Rappe wäre mein Traumpferd, doch: "Alles Glück der Erde" lag auf dem Rücken eines kleinen Schimmels im italienischen Caorle.

Die Szene galoppiert mir immer wieder durch den Kopf. Vielleicht war es der emotionale Kontrast zwischen Todesangst und Lebenslust, der mich damals derart intensiv empfinden ließ? Schon als kleines Mädel liebte ich Pferde, doch beim Reiten überfiel mich blanke Furcht. Diese schaffte es jedesmal, das Tier unter mir nervös zu machen, was den Zustand natürlich verstärkte. Ein Teufelskreis! Ich habe lange über dem Phänomen gebrütet. Pferde sind Fluchttiere, heißt, wenn die Reiterin Panik schiebt, muss wohl Gefahr im Verzug sein. Also: "Ballast abwerfen und nichts wie weg!"

Im Reitunterricht blieben die Pferde entweder stehen (erinnert an Pedro!) oder brachen aus der

Reihe aus, stiegen und buckelten. Das Verrückte: Keines konnte mich je abwerfen. Leider kam niemand auf die Idee, mich beim Rodeo anzumelden. Auf Bullriding-Maschinen bei Volksfesten sahnte ich später regelmäßig Preise ab. Voltigieren ging besser. Mir tat nur der Wallach leid, wenn wir auf ihm herumturnten. Schließlich gab ich auf. Bis zur Klassenfahrt nach Caorle, im Sommer 1986.

Der Lehrer fragte: "Wer von euch kann reiten?" Er hatte ja nicht gefragt, wer dabei zum Rodeo-Clown mutiert, also meldete ich mich. Meine Schimmelstute war total lieb, doch kaum saß ich auf, grinste mir die Angst ins Gesicht. Leichenblass trabte ich den anderen hinterher. Es dauerte nicht lange, da schlug sich Ada mit mir in die Büsche um zu buckeln, die Gruppe geriet außer Sicht. Mein Trauma hatte mich eingeholt. Das Pferd tat mit mir, was es wollte. Irgendwann fand uns der Lehrer und ich gestand ihm mein Problem. Er nahm Ada am Zügel und sie schritt brav zur Gruppe zurück. Sobald der Strand in Sicht kam, gab es jedoch kein Halten mehr. Alle galoppierten jauchzend los, auch mein Lehrer. Ich konnte am Zügel zerren, so viel ich wollte, meine Stute nahm Fahrt auf. Vollkommen machtlos beschloss ich, mich dem Schicksal zu ergeben.

Ada preschte ans Wasser, die Gischt spritzte nach allen Seiten. Kinder rannten neben uns her, winkten und riefen: "Hurra!" Die Brandung rauschte, hoch über uns schrien die Möwen. Ich spürte die Kraft von Adas gleichmäßig arbeitenden Muskeln unter mir, lauer Wind blies mir um die Ohren – es war herrlich! Bis ich den Haufen Felsbrocken sah. Die anderen flogen wie Vögel darüber hinweg, meine Stute steigerte ebenfalls ihr Tempo und sprang.

Alles geschah in Zeitlupe.

Der Überlebenswille zertrat die Käfigtür meiner Ängste und ließ das Glück heraus. Mit ausgebreiteten Schwingen erhob es sich staunend in die neu gewonnene Freiheit. Ich stellte mich leicht in die Steigbügel, legte meine Wange an Adas schlanken Hals und gemeinsam flogen wir der Sonne entgegen.

# Petite romance à Paris

Den Gesellenbrief zur Damenschneiderin in den Händen fuhren wir mit der Abschlussklasse nach Paris. Kaum dort, ploppten uns fast die Augen aus den Köpfen.

Die Spitze des Eiffelturms glänzte im Morgenlicht, schicke Boutiquen ließen unsere modebewussten Mädchenherzen höher schlagen. Hübsche Cafés machten Lust auf Frühstück mit frischen Croissants und Café au lait. Tatsächlich gab es sie, die alten Männer mit Barett auf dem Kopf, Zigarette im Mund und Baguette unter dem Arm oder mit einem Glas Rotwein, an Bistrotischen sitzend. Ein unglaublich gut aussehender junger Franzose blickte von seiner Zeitung auf. Unsere Augen saugten sich aneinander fest, in meinem Magen war akut der Teufel los. Sein Lächeln brannte sich tief in meine Sinne ein.

"Ich muss ihn wiedersehen", flüsterte ich laut genug, dass meine Kollegin Lisa spottete: "Na klar, Paris ist ein Dorf, da läuft man sich ständig über die Füße!" Ich streckte ihr die Zunge raus und sagte: "Warte nur, es ist Schicksal!" Lisa grinste.

Unser Hotel war ein Sinnbild der Belle Époque, der schwarzlockige Rezeptionist, ein Sinnbild sündiger Gedanken – oh, là là! Lisas Augen weiteten sich. Sie und die anderen Mädels zuckten wie Hühner, wenn der Gockel kräht. Jetzt war das Grinsen an mir. Unsere Lehrerin unterband die Flirtattacke. Sie wedelte mit Tickets für die Abteilung Kunsthandwerk im Louvre und gab den Startschuss. "Wir gehen zu Fuß, da könnt ihr unterwegs viel Schönes entdecken." Wie recht sie hatte! Neben uns stoppte ein Stadtbus an der Kreuzung, jemand klopfte von innen ans Fenster. Ich sah hoch – ER! Meine Teufelchen tanzten Cha Cha Cha.

"Gibt's ja gar nicht", knodderte Lisa.

"Schicksal!" wiederholte ich und zwinkerte.

Sie zeigte mir den Vogel. Später besuchten wir die Show einer privaten Pariser Modeschule. Die Models waren so schlank und hübsch, die Klamotten so pfiffig, dass wir uns plötzlich wie blasse, quallige Landpomeranzen vorkamen. Mehr Frust als Lust, den wir am Abend mithilfe einer lustigen Sauf-Tour zu ertränken versuchten. Das verlorene Selbstbewusstsein kehrte im Galopp zurück. Wir wurden heiß umschwärmt, alle hatten tierisch Spaß – außer ich. Natürlich hielt ich nach ihm Ausschau und verzog mich unbemerkt. Meine Füße trugen mich zum Quartier Latin hinüber. Heiße Salsa-Rhythmen und grooviger Bossa Nova umschmeichelten meine Sehnsucht. In einer kleinen Bar bestellte ich Espresso. Gerade als meine Lippen die Tasse berührten, sah ich ihn vorbeilaufen. Prompt verschluckte ich mich, kleckerte, hätte heulen mögen.

"Excusez moi, Mademoiselle?" Er stand direkt neben mir und reichte mir eine Serviette.

"Merci", stotterte ich.

Wieder schlangen sich unsere Blicke ineinander, er griff nach meiner Hand. Ein Bass, ein Akkordeon und ein Saxofon blieben stehen. Unsere Glut verwandelte sich zu Musik. Wir tanzten bis morgens um fünf. Längst hatte die Bar geschlossen, längst waren wir allein.

Sein Kuss schmeckte bittersüß, genau wie heute die Erinnerung.

# Geliebte Gastfamilie in England

Ich hatte mir in den Kopf gesetzt, in den Winterferien nach England zu reisen, um mit einem Kopfsprung in die britische Kultur einzutauchen. Nur so versprach ich mir eine bessere Abi-Note. Die lieben Eltern unkten: "Was können zwei Wochen schon bringen?"

"Vierzehn Tage ausschließlich Englisch hören und sprechen ist besser, als sich immer bloß Vokabeln und Grammatik in die Birne zu hämmern, oder?", konterte ich.

Mein Lehrer formulierte dasselbe Argument etwas geschickter, sodass ich am zweiten Weihnachtsfeiertag im Flieger saß. In höchsten Tönen hatte er von der netten und anständigen Gastfamilie (vor allem das "Anständig" zählte!) geschwärmt, die ein Auge auf mich haben würde.

Natürlich hatte ich Angst, doch diese löste sich beim Anblick der sympathischen Gesichter von Lesley, Mike und Klein-Jamie sofort in Wohlgefallen auf. Wir fuhren mit dem Auto von Manchester nach Chesterfield und ich genoss die neuen Eindrücke, welche die Landschaft, Städte und süßen kleinen Dörfer mir bescherten. Wir passierten schier endlose, sattgrüne Wiesen, durchzogen von kleinen Mäuerchen aus grauem Kalkstein, auf denen unzählige Schafe weideten. Unfassbar schöne Lavendelfelder in verschiedenen Blautönen, auch violett, weiß und rosafarben zischten vorbei. Irgendwo zwischen romantischen Cottage-Häusern und einer feuerroten Telefonzelle musste ich eingeschlafen sein. Mein Kopf ruhte gemütlich auf Lesleys Mutterbrust, als mir plötzlich das Wahrzeichen Chesterfields, die Paris Church mit ihrem Crooked Spire, ins Auge sprang. Klein-Jamie erklärte, da habe der Teufel draufgesessen, deshalb sei die Spitze schief. Ich brauchte einen Moment, bis ich das verstand. Nicht nur im Deutschen gibt es Dialekte. Mir schwante, ich hatte ein Problem.

Bis ich den regionalen Code geknackt bekam, lief einiges schief. Das Praktikum im Chesterfield-College of Technology and Arts wäre toll gewesen, hätte ich dem Unterricht angemessen folgen können. Die Einzige, die ich gut verstand, war Emily. Eine Schülerin, die aus Hongkong stammte und sich meiner glücklicherweise annahm. Auch meine Gastfamilie gab sich redlich

Mühe. Sie verwöhnte mich mit heißen Bettfla-
schen gegen die Kälte, leckeren Sandwiches mit
Crisps zum Fünf-Uhr-Tee, gemütlichen Aben-
den am Kamin, interessanten Ausflügen sowie
einer Silvesterparty mit Polonäse und bunten
Papphütchen bei der Chesterfield Tea Party. Am
Tag des Abschieds heulten wir wie Schlosshunde
und schworen uns ewige Freundschaft.

Nach drei Jahren kehrte ich im Rahmen meines Studiums nach Chesterfield zurück. 2015 be-
suchte ich meine geliebte Gastfamilie zusammen
mit Mann und Mäusen. Klein-Jamie ist längst
ein großer James, Lesley und Mike genießen ihre
Rente.

Wenn sie uns hoffentlich eines Tages besu-
chen kommen, dann fahren wir mit ihnen in
eine urige Kochkäs'-Kneip', "wo rischdisch schee
Hessisch gebabbelt werd!" Dank des berühmten
British Humour bin ich sicher, es wird ein Rie-
senspaß!

# Crazy times in Amsterdam

Erst als ich den abgehängten Altar vor einem Rosenfenster entdeckte, checkte ich, dass unser Hotel eine ehemalige Kirche ist. Mein erster Eindruck von Amsterdam war schräg, das fand ich klasse. "Hast du einen Tipp für abends?", fragte Jana den Kellner, der uns ultrastarken Kaffee servierte. Heiß und lecker – alle beide.

"Das Roxy ist total angesagt. Ehemaliges Theater, coole Atmosphäre, spitzenmäßige Cocktails und musiktechnisch jeden Abend was anderes. Stets vom Feinsten! Heute ist House-Party."

Jana und ich riefen: "Schon gebongt!"

Wir stürzten uns in die City und bestaunten die schönen alten Wohnhäuser, deren Fenster bis zum Boden reichten. Nirgends Vorhänge oder Rollos. Spannen war offenbar völlig okay. Die Grachten glänzten im Morgenlicht, etliche Hausbootbesitzer sonnten sich auf Deck. Möwen sausten mit Radfahrern um die Wette, Freaks und Normalos unterhielten sich entspannt, lustige Omis saßen rauchend im Coffeeshop. Wir setzten uns dazu, um einen ganz bestimmten Kuchen zu probieren. Schmeckte gut, Wirkung gleich null. Meno! Der Rausch kam beim Shoppen, so viele abgefahrene Läden. Für den Clubbesuch kaufte sich Jana eine schwarze Satinbluse, ich mir rote High Heels. Bald war es Abend. Wir schmissen uns in Schale, tranken ein Sektchen und zogen los.

Eintritt ins Roxy ging ganz easy. Ob unsere gute Laune wirkte oder das sexy Outfit? Türsteher sind auch bloß Menschen. Der Hotelboy hatte nicht zu viel versprochen. So ein Wahnsinns-Ambiente, wir waren total geflasht. Coole Beats schossen uns sofort in die Füße, fröhlich tänzelten wir zur Bar. Während Jana mit dem Barkeeper flirtete, beobachtete ich fasziniert die Leute. So einen verrückten Mix hatte ich noch nie gesehen. Ein Pärchen in Lack und Leder, daneben ein Kerl, der aussah wie Old Shatterhand aus Winnetou, fehlte bloß die Flinte. Als Nächstes bestaunte ich den Mut einer Rothaarigen. Vorn trug sie hochgeschlossen, hinten bloß einen Gürtel. Ein Mann in Strapsen lief an uns vorbei, als Jana mich auf die Tanzfläche zerrte. Der DJ verstand seinen Job. Wir gerieten regelrecht in Ekstase, unsere Körper bewegten sich völlig schwerelos!

Plötzlich sprangen Schweinwerfer an. Ein Typ begann auf der Bühne seltsame Verrenkungen zu machen. Er war nackt, sein Dingeling sprang lustig auf und ab. Neben mir stand eine bildhübsche Frau, die aussah wie Naomi Campbell. Schwarzer Abendanzug, nichts darunter. Sie flüsterte mir ins Ohr: "You are so beautiful!" Ihre Lippen kamen immer näher, ich war verwirrt und stolperte rückwärts.

Jana zischte sie an: "He, das ist meine!"

Old Shatterhand kam und geiferte, ob wir drei etwas trinken wollten, wir wären heiß. "Der Freaktänzer ist viel heißer, frag den", flapste ich.

"He, das ist meiner", rief ein Riese in gelben Gummistiefeln und packte unseren Galan am Kragen.

"Mojito, Mädels?", schlug ich vor, lachend hakten wir uns unter.

"Und ich?", fragte der Strapsträger.

"Komm mit!" Zu viert stürmten wir die Bar, der Abend war unser!

# Olé Sevilla, olé

Irgendwann nach Mitternacht. Es roch nach Alkohol, Schweiß, Zigaretten. Der Lärm war ohrenbetäubend. Als wir uns langsam einen Weg durch das Schummerlicht bahnten, streifte uns saurer Atem, nasses Haar und aggressives, obszönes Gelächter. Die Kerle an der Bar soffen, brüllten und schlugen sich mit ihren muskulösen, sonnenverbrannten Armen so heftig vor die Brust, dass meine Knochen automatisch zuckten. Dutzende Augenpaare glotzten uns mit einer Mischung aus Belustigung und Misstrauen hinterher. Der verrückte Antonio zerrte mich mit sich und ich, im schneeweißen Abendanzug, war der Fremdkörper schlechthin. Ebenso hätte ich nackt sein können.

Endlich, in der hintersten Ecke, sahen wir Antonios Freunde. Die beiden Gitanos ließen den Laden kochen. Der Ältere sang, völlig versunken in seiner Welt aus Lust und unerfüllter Liebe, der Jüngere spielte Gitarre. Saiten rissen und wurden heruntergezerrt, ungerührt rasten die Finger weiter. Der Blick der Tänzerin ruhte irgendwo im Nirgendwo. Ihre Arme und Beine bewegten sich vollkommen souverän, geschickt, zwischen anmaßenden Händen balancierend wie die Unschuld an der Höllenpforte. Antonio küsste und umarmte den Sänger, starre Augen werden weich. Fast wäre ich in Ohnmacht gefallen, doch plötzlich hielt ich ein Glas in der Hand, an dem ich mich festhalten konnte. Die Tänzerin kam zu mir. Ihre Augen glänzten wie zwei nussbraune, geheimnisvolle Welten, umhüllt von Samt und Seide.

„Sevillanas?", fragte sie.

Antonio musste ihr gesteckt haben, dass ich tanzen kann. Der Sänger schaute skeptisch auf meine hochhackigen Stilettos und zuckte abfällig mit den Augenbrauen. Jetzt wachte ich auf.

Die Stilettos flogen in die Ecke, das Glas wurde auf die Theke geknallt, die Tänzerin lächelte. Gemeinsam drängelten wir uns in die Mitte. Sie, dunkelhaarig, sinnlich, im roten Carmenkleid – ganz Gitana. Ich, blond, im weißen Schickimicki-Anzug – ganz Touri. Der Kontrast schrie zum Himmel! Sie bildeten einen Kreis um uns. Wie von Zauberhand berührt, herrschte plötzlich Stille. Was war passiert? Aus Anzüglichkeit wurde Ernsthaftigkeit. Selbst der Dunst schien sich zu verflüchtigen. Nicht denken, riet mir eine innere Stimme, lebe es! Frauen tauchten von irgendwoher auf. Alte und junge, in wunderschönen Feriakleidern, Blumen im Haar. Der Kreis wurde bunt, sie klatschten Palmas, die Atmosphäre glühte. Muskeln spannten sich. Gitarre, Palmas und Gesang – vamos!

Nach der ersten Sevillana-Strophe flogen die Jaleo-Rufe hoch durch die Luft, direkt ins Herz hinein. Nach der zweiten lächelte der Sänger mit geschlossenen Augen. Nach der dritten kam das Glück in großen Schritten und nach der vierten war alles eins. Können wir in der Hölle den Himmel finden?

Sie riefen: "Otra, otra!"

Niemand stand mehr still. Wenn Andalusien feiert, blüht das Leben, pulsiert und tobt! Ich genoss diese Nacht mit allen meinen Sinnen und schwor, sie als Erinnerung dankbar zu bewahren.

"Olé Sevilla, olé!"

# Ungarische Leidenschaften

Wir genossen einen romantischen Abend mit würzigem Wein und wunderbarer Musik. Dutzende Kerzen brannten und ihre Hitze eiferte mit unserer um die Wette. Frisch verliebt ist ein Zustand trunkener Göttlichkeit. Die "Ungarischen Tänze" von Johannes Brahms sind wie dafür geschaffen, weitere Funken zu zünden. Es heißt, Brahms habe am Hamburger Hafen dem Spiel ungarischer Roma gelauscht und sich ihre feurigen Weisen abgeschaut. Andere sagen, er habe sie vom Geiger Eduard Reményi. In jedem Fall teilen wir seine Leidenschaft und genießen uns noch opulenter, noch inniger, noch hitziger.

Verliebtheit ist ein Meer aus "noch mehr" und "nochmal", später folgt das: "Weißt du noch?" Voller Freude oder Bitterkeit, je nachdem. Wir befanden uns im Stadium des "noch mehr", sodass wir beschlossen, ins Auto zu springen und über Wien nach Eger zu sausen. Studierende sind meist knapp bei Kasse, doch im schönen Ungarn lebten wir zwei Wochen lang wie im Schlaraffenland.

Literweise floss blutroter Stierblut (Rotwein) und goldgelber Tokajer (Weißwein). Wir aßen würziges Wild, Topfenhaluschka mit Speck, scharfes Gulasch, süße und herzhafte Palatschinken, um nur einige der landestypischen Köstlichkeiten zu nennen. Da uns der Weißwein so gut schmeckte, fuhren wir nach Tokaj. Dort besuchten wir ein uriges Weingut, probierten uns fröhlich durch den Keller und luden den Kofferraum voll. Eigentlich sollte uns dieser süffige Kauf auch noch zu Hause ergötzen, leider reichte er bloß bis kurz vor Budapest. In dieser herrlichen Hauptstadt gab es so viel zu erleben. Wir wanderten zur Burg hinauf, spielten Verstecken in der Fischer-Bastei und aalten uns stundenlang im prächtigen Gellértbad. Später saßen wir Händchen haltend am Donauufer und seufzten vor Glück.

Durch unzählige pittoreske Dörfer hindurch kamen wir zum himmelblauen Balaton, danach in die mörderisch heiße Puszta. Per Pferdewagen fuhren wir zur Besichtigung eines typischen Pusztabauernhofes, anschließend besuchten wir eine Vorführung der Csikosok, der berühmten ungarischen Pferdehirten. Das Highlight, der "Puszta-Zehner", bescherte uns ehrfürchtiges Staunen. Unzählige Erlebnisse füllten diese paradiesischen Wochen, doch unvergesslich bleibt bis heute ein Folkloreabend in Buda.

Wir wählten das Restaurant zufällig. Das Essen war fantastisch und die Musiker fielen uns vom Himmel in den Schoß. Ihr virtuoses Spiel rührte uns zu Tränen, so muss es einst dem guten alten Brahms ergangen sein. Der erste Geiger schritt durch die Reihen hindurch, an unserem Tisch blieb er stehen. Seine schwarzen Augen funkelten. Die großen Gefühle dieser Welt schienen kein Geheimnis für ihn zu sein. Ein wissendes Lächeln umspielte seine Lippen.

"Für die junge Liebe", rief er frenetisch.

Das darauffolgende Solo improvisierten seine schlanken Hände nur für uns. Dieses unglaubliche Talent hatte fast etwas Überirdisches. Es war, als säßen wir im Garten Eden, um einem Engel zu lauschen.

# Hochzeitsnacht in Luzern – fast geplatzt!

Die Idee, zu heiraten, überfiel ihn bei unserem Lieblingsitaliener: "Wenn wir ein Kind bekommen, dann können wir auch gleich heiraten, oder?" Klingt eher pragmatisch als romantisch, doch schön fand ich die Frage trotzdem. Er hielt meine Hände, seine braunen Augen glänzten stolz, aufgeregt und glücklich. Der Kellner schmolz dahin, genau wie ich. "Darf ich gratulieren?", fragte er strahlend. "Wenn ich noch rasch 'ja' sagen darf?", schmunzelte ich und tat es. Obwohl ich eine waschechte Partylöwin bin, wollte ich am schönsten Tag meines Lebens keine Feier, sondern verreisen. Mein Zukünftiger zeigte sich begeistert von der Idee. Wir planten nichts, außer eine Gondelfahrt in Venedig zum krönenden Abschluss. Alsbald traute uns eine wunderbare Standesbeamtin. Ihre Worte flimmerten vor Poesie, welche es vollbrachte, die kleine Hochzeitsgesellschaft völlig zu verzaubern. Uns sowieso. Nach dem Mittagessen hüpften wir lachend in unseren süßen, alten Golf II und düsten los. "Just married", prangte rundum, knallroter Lippenstift auf weißem Lack. Begleitet von fröhlichen Hup-konzerten erreichten wir Luzern. Die Abendson-ne strahlte golden über dem Vierwaldstättersee und durch die Gassen der märchenhaften Alt-stadt – wir strahlten leider nicht. Kreuz und quer trabten wir von einem Hotel zum anderen. Alles belegt oder so teuer, dass wir gleich wieder heim-fahren könnten. Der schöne Abend! Wir wollten doch fein Essen gehen, an der Uferpromenade spazieren und von Italien träumen. Stattdessen hetzten wir wie aufgeschreckte Hühner umher. Ich ächzte: "Warum haben wir nichts gebucht? Total doof!" Er: "Und teuer ist das hier!" Ich: "Du hättest eben vorher nach etwas Günstigem su-chen sollen." Er: "Wieso ich, was ist mit dir?"

Die Sonne ging den Bach runter, genau wie unsere Laune! Fast hätten wir im Auto genäch-tigt, als mein Blick an einem gusseisern einge-fassten Pub-Schild hängenblieb. Ich stehe nicht auf Bier, ergo nicht auf Pubs, aber irgendeine Stimme flüsterte: "Geht dorthin!" Tatsächlich ge-hörte zum Pub ein Hotel und es war noch ein be-zahlbares Zimmer frei. Leider fiel mir bei dessen Anblick die Kinnlade runter. Die Hochzeitsnacht bei Hempels unterm Sofa – na bravo!

"Wollen's ins Theater?", fragte die Rezeptionistin und deutete auf mein Kleid.

"Nein, wir haben geheiratet", heulte ich verzweifelt.

"Waaas? Na!" Entschlossen knallte die gute Frau die Tür zu und führte uns ein Stockwerk höher. "Bitt' schön!" Wow – stuckverzierte hohe Decken, ein traumhafter Blick auf die Kapellbrücke, alles in edlem Weiß. Ein Bad mit großer Badewanne.

"Das können wir nicht bezahlen", sagte ich.

"Is a Hochzeitsgeschenk, zum Preis vom anderen!"

Jubelnd fielen wir uns in die Arme. Nun konnten wir guten Gewissens lecker Essen gehen. Zum Frühstück besorgten wir unserem Engel (übrigens Österreicherin) einen gigantischen Strauß Rosen. Irgendwie blieb das Leben so turbulent. Wer weiß, vielleicht ist genau das unser Schlüssel zum Glück!

# Loveparade Berlin

Die größte Party der Welt wollte ich erlebt haben, da führte kein Weg daran vorbei. Problem als junge Mutter: Das passende Outfit passte nicht. Irgendein Fiesling hatte nach der Geburt des Babys alle Klamotten geschrumpft, vor allem die coolen Teile! Ich zerrte, quetschte, fluchte, erkannte: Mama muss Sport treiben.

Mit Buggy und Kind rannte ich den steilen Weinberg meiner rebenreichen Heimatstadt hinauf. Das Kind jauchzte, Mama war kurz vorm hyperventilieren. Oben angekommen, bestellte ich uns Getränke und Bratwurst. "Hm, lecker", seufzte ich. Im nächsten Moment hätte ich mir in den A ... beißen können. Ohne Fleiß kein Preis! Ab da blieb ich eisern. Der Sohn freute sich über die sportlichen Ausflüge, er durfte dabei naschen, Mama nicht. Nach zwei Wochen saßen Lackhose und Spitzenbody perfekt! Aus der Faschingskiste fischte ich den platinblonden Zopf, der mir angesteckt bis zum Popo reichte. Heißes Outfit! Der Bub fing an zu weinen, als er mich sah, der Gatte schrie: "So läufst du nicht herum!"

Da erkannte mich mein Kind wieder, klatschte und rief: "Schööön!"

"Hörste' ? Unser Spross ist tolerant, gönnt der Mama ihren Spaß – und du?"

Mein Mann streckte die Waffen, wir fuhren nach Berlin- jippie! Ich platzte fast vor Neugierde, Energie und Spannung.

"Pass auf und sei brav!", bekam ich mit auf den Weg.

"Yes, Sir!", gelobte ich lachend, herzte meine beiden Männer und zog los.

Für mich als Landei war es eine Riesensache. Schon die U-Bahn-Fahrt zum Ernst-Reuter-Platz fand ich klasse! Gut gelaunte Menschen in unglaublichen Kostümen überall. Auch, wenn es nach Sodom und Gomorrha aussah, die Atmosphäre war friedlich und entspannt. Auf der Loveparade hatten die Raver das Sagen. Nicht ganz meine Musik, aber ich versuchte einfach, das Gesamtpaket zu genießen. Als ich gerade mit einem kleinen Teufelchen plauderte, kam eine grölende Gruppe Männer auf mich zu. Alle tierisch groß, breit, sie sprachen Russisch. Einer packte mich links, einer rechts. Ich bekam Panik und wollte schreien, da positionierten sich die Jungs um mich herum wie eine professionelle Dance-Crew. Freundlich lächelnd wurde der Fotoapparat gezückt und geknipst. Ach so! Mir fiel ein Stein vom Herz, sie bedankten sich höflich! Bald darauf befand ich mich zwischen den Wagen. Meterhohe Boxen wummerten ohrenbetäubend, es war der helle Wahnsinn! Ich bewegte mich im Takt mit unzähligen fremden Körpern. Alle strahlten verzückt, wollten nur tanzen und Spaß haben. Drei Stunden lang hüpfte ich ausgelassen bis zur Siegessäule mit. Dort stand ich lange Zeit, ließ den Anblick auf mich wirken. So viele verschiedene Leute, so viel "Wirgefühl" und Lebensfreude!

Die Verwandtschaft meines Mannes fand es damals schockierend, dass ein "anständiger Mensch" dort hingeht. Heute heißt es: "Ja, unsere Tanja, die war auf der Loveparade!" Ach nee! Die junge Generation staunt Bauklötze über das olle Tantchen. Mein Mann grinst bloß dazu.

Manche Dinge muss man einfach tun ("frau" sowieso)!

# Millennium – die Macht eines Kleides

Zum Millennium verlangte es uns an den (Tat)ort der haarscharf geglückten Hochzeitsnacht zurück und siehe da, unser Zimmer im Luzerner Pickwick-Hotel war verfügbar. Der Himmel hing voller Geigen! Wir reservierten Karten für den "Freischütz" und besorgten Krimsekt, um das Jahrtausend-Feuerwerk über dem Vierwaldstättersee angemessen zu begießen. Vermutlich würden die Damen in der Oper Schwarz tragen, in mir flüsterte es: Ein Kontrapunkt muss her! Just griff ich mir das Hochzeitskleid und schnitt einen hohen Schlitz ins Rockteil, danach riss ich das beige Schrägband vom Saum.

"Du machst es ja kaputt!", rief der Gatte schockiert, als wild die Fetzen flogen. "Keine Bange!" Seine erschrockene Miene war köstlich. Sorgfältig versah ich sämtliche Kanten mit schwarzem Pailettenband. Dazu besorgte ich schwarze Satinhandschuhe, schwarze Mörder-Stilettos und eine sündige Federboa der Marke: wenn schon, denn schon! Mutti lieh mir ihren smaragdgrünen

Wollmantel mit großer Kapuze, im romantischen Cinderella-Style.

Am 31.12.1999 düsten wir in die Schweiz und bezogen aufgekratzt das traumhafte Zimmer, welches wir damals schon, dank des Kleides, ergattert hatten. Als ich aus dem Bad schritt, verkündete der Liebste begeistert: "Du bist die Königin des Abends!" "Und du der König!" Leidenschaftliche Küsse drohten das aufwendig getunte Gesamtkunstwerk zu zerstören. Also, riss sich das holde Königspaar am Riemen, schlenderte in die Altstadt und gab sich kulinarischen Genüssen hin. Satt und glücklich ging es nun ins Luzerner Theater. Alle trugen Schwarz. Bingo! "In diesem Kleid müssen Sie zum Opernball", schwärmte eine nette Lady, doch leider gab es keine Karten mehr. Weder die fantastische Oper, das bombastische Feuerwerk noch der Krimsekt konnten mich trösten – anheizen sehr wohl. Wer wagt, gewinnt!

"Komm!" Entschlossen zog ich meinen Schatz ins Foyer zurück. Vom oberen Stockwerk hörten wir Wiener Walzer-Klänge herunterschweben. Der Garderobiere sah uns lächelnd entgegen. Jetzt oder nie: Attacke! Schwungvoll schnickte ich die Kapuze vom Haupt und schüttelte strahlend meine Fönfrisur. Muttis Märchen-Mantel wirbelte zweimal durch die Luft und wurde "Prost Neujahr"schmetternd dem adretten Herrn entgegengeschleudert. "Hach, sind wir etwa zu spät?" Lasziv fuhren meine Satinhandschuhe über das bebende Dekolleté zur Taille hinab. Sündig schimmerte das weiße Seidenkleid im Licht des schweren Lüsters. Es war, als habe es sich mit mir verbündet. Wir strahlten um die Wette und gaben alles! "Aber nein, gnädige Frau, bitte schön", einladend deutete der junge Mann zur Treppe hin.

Rasch hakte ich den König unter, fast hätte ich: "Hurra" geschrien! Da wollte ein weiteres Pärchen die Stufen erklimmen. "Halt", rief der Garderobiere empört, "was erlauben Sie sich? Die Karten, bitte!" Herrje, das war knapp! Lachend erstürmten wir den herrlichen Ballsaal, um selig ins neue Jahrtausend zu tanzen.

Vive la robe! Santé!

# Volare in Rom

Zum 40ten Geburtstag darf es gern etwas Besonderes sein. Ich fand, die "Ewige Stadt" bietet den perfekten Rahmen zur Feier des eigenen Werdens und Vergehens. Viele ehemals wunderschöne Bauwerke sind eklatant angenagt, genau wie ich. Trotzdem fasziniert Rom gerade durch die altehrwürdige Patina, wovon ich mir gerne ein Scheibchen abschneiden wollte. Unser Hotel lag nahe der Diokletiansthermen. Der Rezeptionist empfahl uns das Ristorante gegenüber für ein gutes, bezahlbares Abendessen. Ein heißer Tipp in dieser mondänen Stadt. Wir starteten mit Carciofi alla giudia, knusprig frittierten Artischocken und gingen über zur berühmten römischen Pasta: Cacio e Pepe – göttlich!

Danach schlenderten wir los und hörten Gitarrenklänge in einem Imbiss. Ein chilenischer Musiker auf Reisen grüßte freundlich, als er uns um die Ecke lunzen sah. Wir erzählten, dass wir auch musizieren. Schon hatte Mick die Gitarre in der Hand, ich sang: Cuando Cuando. Das hörte einer der Kellner des Ristorantes, in dem wir gespeist hatten, kam und meinte, dass wir kaum normale Touris sein könnten. Doch, erklärte ich mit Händen, Füßen und auf Spanisch, was er als Italiener natürlich verstand. Er war begeistert, dass wir in seiner Heimatstadt Geburtstag feiern wollten. Ich tippte auf die Zwölf meiner Uhr und weg war er.

Gerade sangen wir Djobi Djoba, der indische Imbiss-Besitzer trommelte gekonnt auf seine Theke ein, als der Kellner mit einer Flasche Prosecco, etwas Käse und Ciabattabrot wiederkehrte. Ich konnte mein Glück kaum fassen – wie lieb war das denn? Mittlerweile tummelten sich Neugierige auf der Straße und reckten die Hälse, was da los ist. Der Gitarrist spielte etwas, das nach Salsa klang. Mick war mit Klatschen beschäftigt, also schnappte ich mir eine junge Frau von der Gasse und wir tanzten unter großem Gejohle in meinen 40ten hinein. Der Kellner ließ den Korken knallen, "Salute", Küsschen, alle gratulierten. Geht es noch toller? Aber ja!

Am Morgen stürmten wir die Stadt, tranken in todschicken römischen Bars köstliche Espressi. Vom Trevi-Brunnen aus küssten wir uns bis zur Spanischen Treppe durch, dort schleckten wir ein Eis. Gegen Abend liefen wir am Ufer des Tibers entlang, irgendein Fest war im Gange. Es gab Schmuck-Stände, Live-Musik, Feuerschlucker, Jongleure, Pantomime, fast wirkte es wie eine Filmkulisse. Da gerieten wir in ein Viertel, in dem es keine Laternen gab. Sämtliche Häuser wurden durch lodernde Fackeln beleuchtet. Ein Ristorante mit Garten lockte. Familien an langen Tischen, überall Umarmungen, Geplauder, Kinderlachen. Wir bestellten Wein, dazu Porchetta und lauschten der Band, die zwischen den Tischen spielte. Ich wünschte mir Bambino von Dalida zum Geburtstag. Als ich mitsang, baten sie mich zu sich und stimmten Volare an.

Wahnsinn, jubelte mein Herz, ich stehe in Rom und singe Volare! Die italienischen Familien sangen fröhlich mit und spendeten herzlichen Applaus.

Was für ein Geschenk – La Dolce Vita!

# Venedig und Indiana Jones

Venedig ist für mich eine der schönsten Städte der Welt. Wie eine lustgetränkte Königin, die trotz ihrer immer maroder werdenden Substanz wilde Fantasien schürt. Das Meerwasser umschmeichelt ihre herrlichen Bauten wie ein zärtlicher Geliebter – todtraurig, dass er sie eines Tages verschlingen wird. Doch sie ist zäh und gierig nach Leben. Ich hoffe, sie wird sich noch lange wehren!

Von welchem meiner Erlebnisse dort soll ich erzählen? Vom Flirt auf der Rialto-Brücke während der Klassenfahrt 1986 oder von der Gondeltour als frisch Vermählte 1997 (die leider ins Wasser fiel, weil es zu regnen begann)? Meine Wahl fällt auf den Familienurlaub 2008.

Unser Milan war derzeit verrückt nach den Filmen des abenteuerlustigen Archäologen Indiana Jones. Die Suche nach dem heiligen Gral wurde zur Suche nach der Venezianischen Bibliothek, die im Film eine entscheidende Rolle spielt. Der kleine Bruder fand das viel spannender als "Häuser gucken", beide Buben machten Dampf!

Da half kein Eis, keine Cola, kein Gruselbonus: Besuch der düsteren Gefängniszellen im Dogenpalast oder eine fröhliche Gondelfahrt (die immer noch aussteht). Brave Eltern gehorchen, also gingen wir auf die Suche. Die Bibliothek am Markusplatz war innen hochmodern, ergo die falsche. Der Flunsch unserer Söhne wurde so breit, dass wir von der netten Bibliothekarin einen Tipp bekamen. Sie hatte die Dreharbeiten zum 3. Teil Indiana Jones damals mitbekommen und drückte uns einen Zettel mit Adresse in die Hand. Wir quetschten uns in ein völlig überfülltes Vaporetto.

Platt gebügelt fielen wir kurz darauf durch verwinkelte, alte Gassen. Die Sonne brannte, ich bekam Durst. Milan argumentierte, dass sich im Film direkt vor der Bibliothek ein Café befindet. Hieß: Schlapp machen gilt nicht. Meine schicken Stöckel waren nicht gerade Venedig-tauglich, ich fluchte und ächzte. Sämtliche Einheimische wurden gelöchert, bis wir endlich nach geschlagenen drei Stunden den Ort der Träume fanden – die Kirche San Barnaba! Laut Kassenmann diente sie tatsächlich als Filmkulisse, enthalte aber keine Bibliothek, sondern eine Galerie. Ich hatte literweise Schweiß versprüht und lief mittlerweile barfuß. Ich wollte gar nicht wissen, was mir alles an den Sohlen klebte. Egal, Hauptsache die Jungs waren happy. Sie durften reinschnuppern, hatten aber keinen Nerv für moderne Kunst. Den geplanten Abstecher zum Lido konnte ich schnicken.

Meine Füße schafften es gerade noch ins nächste Restaurant. Das erste Glas Wasser bekamen die Blasen, das zweite die Kehle. Nun konnte ich wieder aus der Wäsche gucken und war entzückt! Fern ab vom Touristensturm saßen wir in einem lauschigen Garten. Die Vöglein zwitscherten lieblich und ein Springbrunnen plätscherte. Die charmante Bedienung empfahl uns köstlichen Wein zu einem wunderbaren Menü.

Wer weiß, vielleicht hat ja Harrison Ford hier gespeist!? Als ich den Kellner fragte, zwinkerte er verschwörerisch und zückte einen imaginären Hut.

# Böhmische Knödel machen glücklich!

Mein 77-jähriger Vater hegte einen Wunsch, der nicht ganz so heimlich war, wie er dachte. Ich liebte es, seinen Geschichten von "Damals" zu lauschen. Vaters Kindheit in Tschechien schien ein echtes Abenteuer gewesen zu sein. Es kitzelte ihn schon lange, auf Spurensuche zu gehen. 2015 wollten wir es endlich anpacken.

So kam es also, dass mein Ehemann, ich und unsere Söhne mit dem Großväterchen gen Osten fuhren. Vater ist Sudetendeutscher, in Prag geboren, aufgewachsen in Groß Priesen. Er schwärmte immer von den schneeweißen Böhmischen Knödeln zu einem ordentlich scharfen, saftigen Gulasch und dem Tivoli, in dem damals Zarah Leander und Marika Rökk auftraten. Nie war er zurückgekehrt, nachdem er als Achtjähriger mit der Mutter in den Zug gesetzt und fortgeschickt worden war. Koffer, Bettwäsche und Nähmaschine, war alles, was Mutter und Sohn mitnehmen konnten. Mit der Nähmaschine erhoffte sich die Witwe das Leben in Deutschland finan-

zieren und dem Buben eine einfache, aber an-
ständige Zukunft verschaffen zu können. Es ist
ihr gelungen, leider habe ich die Großmutter nie
kennengelernt.

Als wir die Landesgrenze passierten, schien
mein Vater hin- und hergerissen zwischen Spannung, Ängsten und Glück. Wir alle waren sehr
aufgeregt und versuchten mit reihum erfundenen
Reimen und Liedern die Nervosität zu bannen.
Schließlich kam das Ortsschild Groß Priesen in
Sicht, es wirkte wie ein Jungbrunnen. Kaum ausgestiegen, schnappte das Großväterchen sich den
Rollator und düste los. "Papa, nicht so schnell,
ich will Fotos schießen!", rief ich atemlos, doch er
war nicht zu halten. "Hier ist der Bahnhof, an
dem wir uns damals sammeln mussten. Ich weiß
noch, wie ein paar Rotzlümmel auf Muttis Bettwäsche herumgehüpft sind, denen habe ich den
Arsch versohlt! In den Waggons gab es kaum
Platz für alle, keine Sitze und kein Klo. Die Frau-
en wurden von den Männern aus der offenen
Waggontür gehalten, wenn's pressierte. Ich hatte
solche Angst, dass Mutti rausfällt!"

Wir waren geschockt, er rannte weiter. "Dort
ist meine ehemalige Schule. Schaut nur, daneben
war ein Kino!" Weiter ging's im gestreckten Ga-

lopp, fast hätte er ein älteres Ehepaar umgemäht. "Auf dem Haus, da haben wir Gurkendosen in den Kamin gestopft, das hat vielleicht gequalmt!" "Was hat Opa gemacht?", fragten die Jungs verblüfft. Keine Zeit – weiter, weiter! Unser Sprint endete an einem Mehrfamilienhaus.

Vater zog ein altes Foto aus der Tasche und flüsterte: "Hier haben wir gewohnt", dann begann er zu weinen und wir mit ihm. Er nahm mich fest in seine Arme. "Danke, mein Kind!" Das wertvollste "Danke" meines Lebens!

Nur ein Jahr später ereilten ihn mehrere Schlaganfälle, die Reise wäre nicht mehr möglich gewesen. Inzwischen lebt mein Vater im Pflegeheim, die Demenz ist stark fortgeschritten. Doch ein gewisses Fotoalbum lässt ihn jedesmal strahlen. Vor allem, wenn er das Foto betrachtet, auf dem wir gemeinsam im Restaurant Tivoli sitzen und herrliche Böhmische Knödel essen.

# 123er-Oldie-Parade in den Niederlanden

Wir lieben Oldtimer (könnten ja selbst schon das H-Kennzeichen beantragen)! Sie sind schön, zuverlässig und besitzen Charakter. Alles lässt sich daran noch selbst reparieren (bei den Autos, bei uns ist es schon schwieriger), eben gute alte Wertarbeit.

Umwelttechnisch streiten sich die Geister, das ist uns wohl bewusst. Wir denken, ein Auto bis zum Ende zu fahren, wenn die Werte stimmen (!), ist umweltschonender, als ein neues zu bauen. Neuproduktionen belasten die Umwelt ebenfalls, selbst basteln ist fast unmöglich und Elektromotoren, puh! Das bedeutet Ausbeutung von Drittländern für notwendige Materialien, von der schwierigen Entsorgung der Motoren/Akkus wollen wir gar nicht sprechen. Auch die Feuerwehr ist not amused, falls es einmal brennt, einfach löschen geht nicht. So hat alles seine zwei Seiten. Wir werden unsere Oldies fahren, bis sie (oder wir) auseinanderfallen. Entsorgung ist kein Problem (in beiden Fällen).

Toll, wenn Leute stehen bleiben und die Daumen hochrecken. Vor allem Ältere – passt! Die Jungen (Kindergartenalter) rufen, winken und erfreuen unsere Herzen. Kritisch ist es nur für mich als Frau. Früher wurde ich angesprochen, weil hübsch und knackig. Mittlerweile knackt es überall und ich werde wegen des Autos angesprochen, nicht wegen des netten Antlitzes. Dauernd will es mir einer unter dem Bobbes wegkaufen. Manchmal muss ich es sogar vor Grapschern verteidigen. Mein Auto ist 100x interessanter als ich – autsch, das ist hart! Mein Göttergatte sagt: "Du spinnst!", wenn ich mich beschwere. Der hat gut reden.

2016 gab es vom 123er Mercedes-Forum einen Tipp, dass in den Niederlanden eine Parade stattfinden soll. Intention: Guinnessbuch der Rekorde. Das verlangte nach Unterstützung und wir machten uns auf den Weg. Schönstes Wetter begleitete unsere Fahrt. Wir genossen die saftig grüne Landschaft, die an uns vorbeiflog. Fotogene Windmühlen, freundlich winkende Radler sowie massenweise glückliche Schafe und Kühe. Ein sympathisches Land, ohne Frage. Wir fuhren ein Stück weiter als nötig, zum IJsselmeer. Die Möwen kreischten uns um die Köpfe und der Wind blies uns in die Ohren. Süße Häuschen mit

Meeresblick entzückten unsere Fantasie. Sofort rätselten wir, in welchem wir wohnen würden.

Huch – höchste Zeit! Wir mussten nach Balkbrug, uns anmelden und die Startnummer besorgen. Also hopp, hopp! Unterwegs sahen wir einen weißen 123er mit Panne. Angehalten, ausgestiegen und selbstverständlich abgeschleppt. So kamen wir fast zu spät. Wir hetzten an hunderten geparkter Oldies entlang und schafften es in letzter Sekunde. Presse und Fernsehen standen bereit, schon setzten sich die ersten Autos in Bewegung.

Überall standen oder saßen Zuschauer, bei Picknick und Bier. Kinder rannten neben uns her: Jubel, Trubel, Heiterkeit! Wir bekamen Obst gereicht und Getränke, lernten viele nette Menschen kennen. Mit dem Guinnessbuch wurde es nichts – was soll's!

Dabeisein ist alles, oder? Hup, hup!

# Überraschungen im Kroatienurlaub

Alle schwärmten von Kroatien, dem sauberen Meer, der wild-romantischen Landschaft, den malerischen Dörfern, historischen Städten und vom guten Essen. Wir bezweifelten, dass uns ein Land ebenso gut gefallen könnte wie Italien, Frankreich oder Ungarn.

Nach dem Motto: "Lassen wir uns überraschen" ging es im Sommer nach Istrien, zusammen mit unserem Sohn László und dessen Freund David. Gegenüber der Insel Cres, die uns sofort begeisterte, befand sich die Ferienwohnung. Statt zwei Zimmer bekamen wir eins mit vier Betten. Autsch, das hieß, zwei Wochen kein Sex und das im Urlaub! Hatte wohl falsch gebucht. Mein Gatte erlitt einen Tobsuchtsanfall. Der Vermieter verscheuchte die schlechte Laune gewitzt, mit einer Runde Selbstgebranntem. Seine Frau wollte, dass ich von ihrem Feigen-Likör kostete. "Extrem lecker", lallte ich artig.

Da mir nach so viel Hochprozentigem auf leeren Magen ganz blümerant wurde, empfahl uns das Ehepaar grinsend, etwas Essen zu gehen. Die Kinder jubelten, als wir auf einer herrlichen Terrasse mit Meeresblick Platz nahmen. Die Herren orderten Fisch, Cevapcici und Gnocchi mit Käse überbacken, was mir ziemlich spanisch vorkam beziehungsweise italienisch. Das zuvor genossene Feuerwasser verhinderte die korrekte Artikulation einer betreffenden Frage. Mein Mann bestellte für die Dame Schafskäse und dachte dabei an die weiße Version, die wir von Griechen, Türken und Kroaten in Deutschland kannten. Stattdessen kam kalter Käseaufschnitt, der aussah wie Parmesan. Das verwirrte mich, schmeckte aber großartig und steigerte den Appetit. Als Nächstes aß ich gegrillte, mit Frischkäse gefüllte Tintenfischköpfe an mediterranem Gemüse. Die genüsslichen Kaubewegungen schienen sich positiv auf meinen Sprachapparat auszuwirken. Bald erfuhren wir, dass Istrien früher venezianisch gewesen war, weshalb vieles hier an Italien erinnert. Kein Wunder, dass der Vermieter ständig Grappa mit uns zischen wollte.

Nach herrlichen Tagen am glasklaren Meer bestiegen wir den Vojak, den höchsten Berg der Gegend. Beim Aufstieg spürte ich jeden einzelnen der fünf Shots, die mir der lustige Hausherr abends zuvor eingeholfen hatte. Doch ich hielt tapfer mit, bis uns ein Schäfer mit seiner Ziegen-herde begegnete und ich von einem gigantischen Misthaufen ausgebremst wurde.

"Gibt es hier etwa Bären?", fragte ich, mit ängstlichem Blick auf die Kinder.

"Quatsch!", sagte der Gatte.

"Dann haben die Ziegen hier aber sehr große A...!"

"Mama", rügte mich unser Sohn empört, "be-nimm dich!"

Nach der erfolgreichen Gipfelstürmung fielen wir ins Gasthaus ein. Es gab Wildschwein, Hirsch- und Bärenragout. "Schau an", entfleuchte es mir.

Der wilde Mix wurde mit Polenta, Gnocchi, Knödeln und verschiedenen Bratensoßen ser-viert. Es schmeckte köstlich!

"Bären – jetzt schockt mich nichts mehr", be-hauptete ich, nichtsahnend, dass im Bett ein Skorpion auf mich wartete. Kroatien, die wilde Perle steckt voller Überraschungen!

# Spanisches Flair am Attersee

Die Seen und Berge in Österreichs Salzkammergut verwöhnen meine Sinne. Ihr Anblick ist für mich wie ein Kuss reiner Schönheit, wie ein Hauch von Ewigkeit und ihr Wiederklang im Herzen kommt geliebter Heimat gleich. Mit den Eltern im 14ten Lebensjahr zum ersten Mal bereist, später mit Mann und Mäusen, fuhren wir im Sommer 2019 erneut zum lauschigen Hofgut in Seewalchen.

Monika begrüßte uns herzlich, ihre Enkel sprangen munter um uns herum. Die Aussicht über die saftig grünen Wiesen zum Berg hinüber – einfach herrlich! Tief atmeten wir durch, die Seelen baumelten glücklich. Kaum ausgepackt, ging's mit Schuhen und Gitarre bewaffnet in die Gartenhütte, die uns dort als Trainingsraum zur Verfügung steht. Monika findet es toll, dass wir Flamenco machen. Wir finden es toll, dass sie es toll findet! Passt!

Im letzten Jahr flanierten wir an Seewalchens Strandpromenade entlang und entdeckten Plakate von Kulturevents in der Villa Paulick. Sofort stand ich in Flammen. Die Jugendstilvilla ist ein Kleinod! Der gute alte Klimt wusste schon, weshalb er die Sommerfrische dort verbrachte. Ich bezirzte die Besitzer, dass ein Flamenco-Abend sicher großartig ankommen würde. Nun mussten wir nur noch das österreichische Publikum überzeugen. "Nur" ist gut! Es hieß, wir seien die Ersten, die am Attersee so etwas darbieten würden. Unsere Vorfreude mischte sich mit einer satten Portion Lampenfieber, welche die Freude langsam aber sicher aufzufressen drohte.

Die offizielle Ankündigung versprach: Sinneslust und Emotionen.

Unsere Emotionen schwebten am Tag X irgendwo zwischen Blasenschwäche und Schnappatmung. Das konnte ja heiter werden! Die Geister, die ich rief! Es war meine Schuld, ich wollte ja unbedingt. Mein Mann ist keine Rampensau, er wäre lieber auf den Berg gestiegen. Doch die Vorbereitungen waren nicht mehr zu stoppen. Eine professionelle Musikanlage und ein Tanzboden wurden auf der Terrasse der Villa aufgebaut, die Stühle gestellt, spanischer Wein und Tapas gerichtet. Der Wettergott zeigte sich gnädig, die Musikanlage nicht. Schon trafen fein gekleidete Gäste ein, doch die Boxen blieben stumm.

"Check, check, Scheißdreck!", rief ich und mutierte zum Nervenbündel! Gefühlt musste ich hundertmal zur Toilette, als der Hausherr die Anlage just zum Spuren brachte. Die illustre Gesellschaft nahm es mit Gelassenheit und viel Humor. Von wegen Österreichischer Grant: Wohlwollendes Lachen vertilgte jegliche Panik!

Der erste Song klang noch wackelig, die Füße zaghaft, doch der herzliche Applaus entzündete die Leidenschaft und begleitete uns lustvoll durch den Abend. Ich genoss die stimmungsvolle Atmosphäre, hörte das Raunen, sah in strahlende Augen. Während der Drehungen winkten mir der grünblaue See und die von der Abendsonne rot schimmernden Berge selig zu.

Micks Gitarrenklänge trugen uns davon, mein Fächer flog dem Himmel entgegen. Grandioses Publikum!

"Zugabe, Zugabe", riefen sie und im Finale steppte der Bär!

# Flamenco in Saintes-Maries-de-la-Mer

Wir fühlten uns wie randvolle Champagnerschalen. Prickelnd vor Lust, auf rauen, grauen Felsen sitzend. Mick spielte Gitarre, ich sang gegen die brüllende Brandung an, die begehrlich an unseren Zehen leckte. Der heißblütige 4er-Rhythmus der Rumba Gitana flog schwalbengleich übers Meer. Er umkreiste den feinen Sand der südfranzösischen Küste, flankierte endlose Reisfelder, schwarze Stiere, rosa Flamingos und landete schließlich auf einem der Wohnwagen, die sich nach und nach zur Wallfahrt in Saintes-Maries-de-la-Mer einfanden.

Im Mai jeden Jahres treffen sich die fahrenden Völker hier, um gemeinsam das Fest zu Ehren ihrer Schutzheiligen Sara zu feiern. Musizierende Roma und traditionell gekleidete Cowboys auf schneeweißen Camargue-Pferden begleiten die schwarze Schönheit von der alten Wehrkirche bis zu ihrer Taufe im Meer. So auch im Jahr 2019. In der kleinen Gemeinde tobte das Leben. Es wurde gesungen, geklatscht, getrunken, getanzt –

und wir waren mittendrin. Bulgarische und rumänische Meister jagten ihre Bögen über Geige und Kontrabass, dazu spielten Akkordeon, Orgel und Tárogató – Klänge, die unsere Herzen küssten! Die einst aus Spanien emigrierten französischen Gitanos haben es uns besonders angetan, wer kennt nicht die weltberühmten Gipsy Kings?

In einem der Platanen umsäumten Cafés saß eine lokale Prominenz, inmitten weiterer virtuoser Musiker. Während sie noch seine Rasgueados bejubelten, stimmte der begnadete Sänger und Gitarrist unser Lieblingslied an. Durch Dutzende Touristen hindurch sah er die Leidenschaft in unseren Augen, das rhythmische Zucken unserer Hände und lud uns in seine Runde ein. Welche Ehre! Mit „Olé guapa"-, „Toma, toma"-Rufen feuerten sie mich zum Tanzen an. Ihre Gesichter leuchteten, als ob sie es wüssten. Profis erkennen was Sache ist. In diesem Urlaub wollte ich eigentlich nur Inspiration tanken, zuschauen und genießen – nada! Klopft das Schicksal an deine Tür und lächelt dir zu, dann öffne schnell, bevor es weitergeht!

Einer stellte die Flamenca auf den Tisch. Die wunderbare Stimme des Meisters erhob sich, die Finger rasten über die Saiten, seine Augen schossen Blitze. Die ersten Sekunden waren pure Obsession, doch die Seele hatte Blut geleckt. Meine Hände begannen zu kreisen, ein unsichtbarer Puppenspieler zog die Fäden und meine Arme reckten sich gen Himmel. Wie Stromschläge fuhr der Rhythmus durch meine Beine, aus meinen Füßen schlugen Flammen. Einer Ertrinkenden gleich, saugte ich gierig nach Luft. Saugte die Melodie, die Rufe, die Blicke in mich auf, spürte diesen Moment mit allen Fasern meines Seins. Innen und Außen. Fremde und Heimat verschwammen, es tanzte mich über die Wellen des Glücks hinweg.

Mick strahlte mich an, voller Stolz und Liebe. Die Macht der Musik, die Macht der Gefühle, unsere Herzen schlugen im gleichen Rhythmus. Ich mochte niemals zurückkehren oder ankommen, denn alles was zählte, befand sich im Hier und Jetzt.

"Toma la vida!"

## Tanja Gitta Sattler

Bin sehr experimentierfreudig, deshalb in vielen Richtungen unterwegs. Damenschneiderin, Sozialpädagogin, Leseratte. Habe ein kleines Flamencostudio in Bensheim, unterrichtete vor dem Lockdown jahrelang sehende, sehbehinderte und blinde Menschen. Gigs als Sängerin und Tänzerin aber auch wilde Jam-Sessions machen mich glücklich. Als Studentin jobbte ich bei einer Zeitung, entdeckte dort die Liebe zum Schreiben, 2020 erschien mein erster Roman "Die Frau, die es nicht gibt" bei BoD. Außerdem ergatterte ich mit meinen Berlin-Reisetipps einen Platz in "City Letters" von BoD & Travel Kollekt. Etwas Witziges zum Thema "Peinlich" wurde gerade fertig. Weitere Infos: www.tanjagittaskunstgestoeber.de Freue mich auf Besuche und Feedback!

Alle Storys von Tanja Gitta Sattler zu finden auf
www.story.one

schreib's auf
**story.one**

Viele Menschen haben einen großen Traum: zumindest einmal in ihrem Leben ein Buch zu veröffentlichen. Bisher konnten sich nur wenige Auserwählte diesen Traum erfüllen. Gerade einmal 1 Million publizierte Autoren gibt es derzeit auf der Welt - das sind 0,013% der Weltbevölkerung.

**Wie publiziert man ein eigenes story.one Buch?**

Alles, was benötigt wird, ist ein (kostenloser) Account auf story.one. Ein Buch besteht aus zumindest 15 Geschichten, die auf story.one veröffentlicht werden. Diese lassen sich anschließend mit ein paar Mausklicks zu einem Buch anordnen, das sodann bestellt werden kann. Jedes Buch erhält eine individuelle ISBN, über die es weltweit bestellbar ist.

**Auch in dir steckt ein Buch.**

Lass es uns gemeinsam rausholen. Jede lange Reise beginnt mit dem ersten Schritt - und jedes Buch mit der ersten Story.

#livetotell

Lightning Source UK Ltd.
Milton Keynes UK
UKHW050933060421
381487UK00016B/227